セロハンテープ

両面テープ

じょうぎ

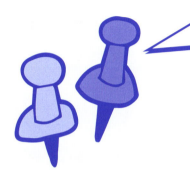

プッシュピン
紙にあなをあけるときにべんり。先がとがっているので、ゆびをさしてケガをしないように、ちゅういしよう。

クラフト用ボンド
木や紙、プラスチックや皮など、いろいろな材質のものを接着するのにべんりな接着材だよ。

ゼムクリップ

グルーガン
いろいろなものを接着することができるピストルの形をしたどうぐ。コンセントにつないで、ねつでスティックをとかしてつかう。クラフト用ボンドのかわりにつかうとべんり。あつくなるから、やけどをしないようにちゅういしよう。

気をつけながらつかってね♪

授業でつかえる！おもちゃを作ってせつめいしよう

2巻「わくわく！あそべるおもちゃ」

もくじ

- ▶ はじめに ………………………………… 4
- ▶ この本のつかい方 ……………………… 5
- ▶ 役に立つ 工作のわざ！ ………………… 6

見えないたまをうつ
ペットボトル空気砲 ……………… 8

せんたくばさみがポイント
ピンポン玉入れ ……………… 12

せい電気をつかう
ビリビリゲーム ……………… 16

エンジンは1本のわゴム
プルバックカー ・・・・・・・・・・・・・・・・・ 20

ふわりと帰ってくる
紙コップブーメラン ・・・・・・・・・ 24

やわらかいたまをうつ
風船ピストル ・・・・・・・・・・・・・・・・ 28

指先にしゅう中！
ゆらゆらバランスゲーム ・・・・・ 32

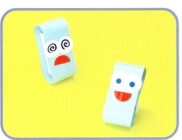

さか道をパタパタころがる
パタパタくん ・・・・・・・・・・・・・・・・・・ 36

〈この本にでてくるざいりょうについて〉　プラスチックコップは、375ミリリットルのサイズ、紙コップ（大）は、250ミリリットルのサイズ、紙コップ（中）は、205ミリリットルのサイズです。

はじめに

みなさん、こんにちは！　ささぼうです！
この本を手にとってくれてありがとうございます。

ぼくはみぢかなものをつかって、いろいろなおもちゃを工作する動画をYouTubeにとうこうしています。みなさん、工作はすきですか？　ぼくは大すきです！　自分の手で切ったり、はったりをくりかえして、くろうしても完成したときはすごくうれしいですよね。
紙コップやペットボトル、せんたくばさみなど、みぢかなものが、すてきなおもちゃにへんしん！　なにかを作り出すって、とてもワクワクしませんか？

この本には、みなさんが楽しく工作をするためのアイデアやヒントをいっぱいつめこみました。
たまには、失敗することもあるかもしれませんが、それも大切なことです。なんどもやり直して、自分の力ですてきな作品を作り上げていきましょう！
この巻の工作ではいろいろなあそべるおもちゃをしょうかいしています。まとにあてたり、せい電気をつくったりして、あそび方をくふうしてみてくださいね。
そして、作り方や自分のアイデアを、家族や友だちにせつめいしてみましょう。
おたがいにアイデアを出し合うことで、よりすばらしい作品になるかもしれませんよ。

さあ、じゅんびはいいですか？　さっそくはじめてみましょう！
　　　　　　　　　　　　　　かがくらふとチャンネル　ささぼう

この本のつかい方

この本では、みぢかなざいりょうでできる、おもちゃの作り方をしょうかいしています。写真だけでなく、イラストと文でせつめいするページもあります。かんたんなので、まず作って、あそんでみましょう。

6〜7ページ
工作がじょうずにできる4つのわざをしょうかいしています。

4つのわざを
おぼえておくと、
いろいろな工作で
つかえるよ！

8〜39ページ
それぞれの工作についてしょうかいしています。

工作のざいりょうとどうぐが書いてあります。

おもちゃの作り方を、写真をつかってしょうかいしています。

完成したおもちゃの写真です。

おもちゃのあそび方が書いてあります。

おもちゃの作り方をイラストと文でせつめいしています。

スマートフォンやタブレットでこのQRコードを読みとると、あそび方やうごかし方がわかる動画を見ることができます。

工作を作るときにつかう、わざの番号が書いてあります。

おもちゃのしくみなどについて、しょうかいしています。

※この動画はどなたでも視聴できます。動画は予告なく終了することがあります。
※QRコードは株式会社デンソーウェーブの登録商標です。

役に立つ工作のわざ！

おぼえておくと、工作がじょうずにできるわざをしょうかいします。

1 紙コップにまっすぐな線を引く

紙コップなど、つつ形のものに線を引きたいときのわざです。ガムテープやビニールテープの上にえんぴつをおいて、しんの先を紙コップにあてます。

えんぴつをおさえたまま紙コップを1しゅう回すと、まっすぐな線が引けます。

高いところに線を引きたいときは太いテープを、ひくいところに引きたいときは細いテープをつかおう。2つかさねて高さをちょうせつすることもできるよ。

2 ペットボトルをきれいに切る

まっすぐ切る目じるしとして、切りたいところにふちがくるように養生テープをまきます。テープのふちの少し外がわにカッターで切れこみを入れます。そこに、はさみの親指がわの刃をさしこみ、ペットボトルを向こうに回しながら切りすすめます。ふちよりも外がわを切り、しあげに、ふちをととのえます。

3 カッターを あんぜんにつかう

刃がすすむ方に手をおかない。

　カッターは、かならずカッターマットの上でつかいます。強い力で一気に切らず、何回か同じところをなぞるようにして少しずつ切ります。

　また、つかう前に刃をおとなに見せて、さびたり、かけたりしているときは、おってもらいます。おとなといっしょにつかいましょう。

刃はあまり長く出さない。写真くらいが切りやすい。

4 ニッパーを あんぜんにつかう

　ケガをしないように、ぐん手をします。

　切りたいところをはさんだら、少しずつ力を強くしていき、さいごは、ニッパーをもつ手を外がわに返し、ポキッと下におるようにして、切りはなします。

もしも切れはしがとんできたときに目をまもれるゴーグルがあるとあんしん！

見えないたまをうつ ペットボトル空気砲

すてちゃうものが
かっこいい
空気砲に大へんしん！

ざいりょうとどうぐ

●ざいりょう
丸いペットボトル500ミリリットル（1本）、風船、トイレットペーパーのしん（1本）、まとになるもの（色画用紙など）

●どうぐ
養生テープ、ビニールテープ、はさみ、カッター、セロハンテープ

空気のたまで
まとをたおして
あそぼう！

ちゅうい　顔の近くから顔に向けてうたないようにしよう。

あそび方

風船のしっぽを引っぱって、ぱっとはなします。すると、空気のたまがとび出します。まと当てゲームなどを楽しみましょう。

せつめい動画

作り方

テープはまっすぐ切るための目じるし。

1 ペットボトルに養生テープを1回まく。

工作のわざ！
2のわざをつかうよ。

2 カッターで切れこみを入れて、はさみの先をさしこみ、底を切りとる。切りとったら養生テープをはがす。

3 はさみで風船を切って、頭の方を切りとる。

かぶせるのは少しむずかしい！だれかに手つだってもらおう

4 風船を手でのばし広げて、ペットボトルにかぶせたら、はずれないようにビニールテープを2回まいてとめる。

5 なるべく根元に近いところで風船をむすぶ。

6 トイレットペーパーのしんに、1.5センチメートルごとに、ふかさ1センチメートルの切れこみを入れる。

7 切れこみを外がわにおり、セロハンテープでペットボトルにくっつける。ここがもち手になる。

8 もち手にビニールテープをまく。

9 本体もテープなどでかざりつけたら完成。

せつめいしてみよう

ペットボトル空気砲

しげんごみをリサイクルした、楽しいおもちゃの作り方をせつめいします。

作り方

はじめに、空気砲の本体を作ります。まず、ペットボトルの底を切りとります。底を切るときは、養生テープを1回まいて、テープのふちにそって切ると、まっすぐ切れます。

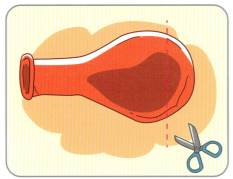

つぎに、はさみをつかって、風船の頭のぶぶんを切ってしまいます。風船はやわらかいので切りにくいことがあります。

風船を手でのばして広げ、ペットボトルにかぶせます。かぶせたら、はずれないようにビニールテープを2回まいて、しっかりとめます。ひとりでやるのは少しむずかしいので、だれかといっしょにやるとよいです。

風船をむすびます。なるべく根元の方でむすぶようにします。風船がピンとはれると、空気のたまを遠くまでとばすことができます。

さいごに、もち手を作ります。もち手はなくてもよいですが、あった方がつかいやすいです。トイレットペーパーのしんのはしに1センチメートルのふかさの切れこみを入れて、外がわにおります。

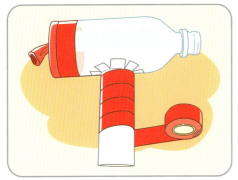

セロハンテープでもち手をつけたら、ビニールテープをまいて強くします。これで、ペットボトル空気砲のできあがりです。本体にもビニールテープをまくと、かっこよくなります。

楽しみ方

色画用紙などで作ったまとにむけて、空気砲をうち、たおすともり上がります。たまは空気なので人に当たってもあんしんです。強い力がなくてもあそべるので、小さい子も楽しめます。

なぜ、空気でまとがたおせるの？

空気砲の口から、空気がかたまりになって出てくるからだよ。ペットボトルにけむりを入れて、横をかるく何どかおしてみると、うずをまいた、わっかのかたちで空気が出てくるようすが見える。うずになっていると、空気がバラバラにならず、遠くまでとどくんだ。

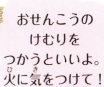

おせんこうのけむりをつかうといいよ。火に気をつけて！

ちゅうい 顔に向けてけむりを出さないようにしよう。

せんたくばさみがポイント
ピンポン玉入れ

ピンポン玉を発射台にのせて、えいっ！

雨の日でも
うちの中でできる
ボールあそびだよ！

ざいりょうとどうぐ

●ざいりょう
角が四角いわりばし（わってないもの2ぜん）、せんたくばさみ（1こ）、ペットボトルのふた（1こ）、ピンポン玉

●どうぐ
はさみ、ビニールテープ、両面テープ（スポンジタイプなど、あつみのあるものがいい）

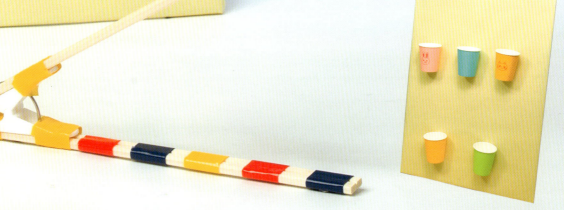

あそび方

発射台にピンポン玉をのせて、ぐーっとおし下げて、ぱっとはなし、玉をとばしてあそびます。紙コップのゴールに玉を入れるゲームもできます。

せつめい動画

作り方

わりばしは、わらない。少しだけわれ目をひらいて、でっぱっているワイヤーをはさむんだ。

1 わりばしの先を少しひらいて、われ目に、せんたくばさみのワイヤーをはさみこむ。

2 ビニールテープを何回もまいてしっかりとめる。

3と4はてつだってもらうといいよ。せんたくばさみをひらいたままテープをまくのは、ひとりだとちょっとむずかしいよね！

3 せんたくばさみをぐいっとひらいて、はさむところもビニールテープをまいて、わりばしにくっつける。

4 せんたくばさみのもう一方も、1～3と同じく、もう1ぜんのわりばしにくっつける。

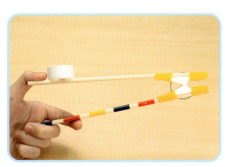

スチレンボードなどにセロハンテープで紙コップをはったらゴールも完成！

5 わりばしのはしを2センチメートルくらいあけたところに、両面テープでペットボトルのふたをつける。シールやビニールテープなどでかざったら完成。

せつめいしてみよう

ピンポン玉入れ

せんたくばさみとわりばしをつかってできる、ボールあそびゲームの作り方をせつめいします。

作り方

まず、ピンポン玉の発射そうちを作ります。わりばしの先に、せんたくばさみをくっつけます。わりばしを少しひらいて、せんたくばさみのワイヤーをはさみ、ビニールテープを何回もまいて、しっかりつけます。

ワイヤー→

せんたくばさみのはさむところも、わりばしにくっつけます。せんたくばさみをひらいて、ビニールテープをまきます。だれかに、せんたくばさみをひらいてもらうと、まきやすいです。

せんたくばさみのもうかた方も、もう1ぜんのわりばしにくっつけます。わりばしをひらいたり、とじたりしても、せんたくばさみがぐらぐらしないように、しっかりとめます。

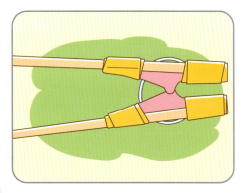

つぎに、発射台を作ります。ペットボトルのふたに、両面テープをはって、わりばしにくっつけます。わりばしのはしっこを2センチメートルくらいあけたところにつけると、とばしやすいです。

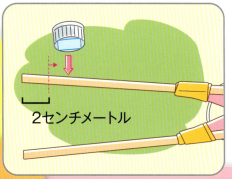
2センチメートル

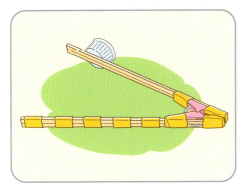

　さいごに、シールやテープなどで、かざりをつけたらできあがりです。

　紙コップとスチレンボード、セロハンテープなどでゴールを作るときは、紙コップに絵をかいたり、点数をかいたりすると、もっとおもしろくなります。

楽しみ方

　発射台にピンポン玉をのせて、わりばしをぐいっと下げます。ぱっと手をはなすと、ピンポン玉がピュン！　ととびます。遠くまでとばすゲームや、まとやゴールをねらうゲームもできます。

フェルトのまと当てゲームにアレンジ

スチレンボードに、両面テープでフェルトをはるよ。ピンポン玉には、マジックテープのかたい方を、ぐるりとはろう。

> フェルトの
> まとをねらって
> 玉をピュン！
> まとに玉がくっついたら
> 大せいこうだよ！

せい電気をつかう ビリビリゲーム

ドキドキ、ひやひや
スリルまんてんのゲーム

電気がバチッと
なったらアウト！

ざいりょうとどうぐ

● ざいりょう
ふたつきのプラスチックコップ（2こ）、アルミはく10センチメートル（3まい）、太さ1.2ミリメートルの鉄のはりがね2本（㋐80センチメートル、㋑20センチメートル）

● どうぐ
セロハンテープ、ビニールテープ、プッシュピン、はさみ、ニッパー（はりがねを切る）、油性ペン、長い風船、毛糸の手ぶくろ、またはぐん手

ちゅうい
このゲームでながれる電流は少しなので体へのえいきょうはありません。しかし、心ぞうの弱い人や、ペースメーカーを使用している人は、あんぜんのために、このゲームはおひかえください。

● あそび方

かた方の手でコップをもちます。もうかた方の手にもったわっかを、はりがねにふれないようにすすませて、根元まで通せたらゲームクリアです。

せつめい動画

作り方

1 アルミはくを、コップにまく。アルミはくの両はしと底は、セロハンテープでとめよう。これを2こ作る。

2 1このコップにプッシュピンであなをあけ、⑦のはりがねを通す。コップの内がわから外がわに、はりがねの先を出す。

3 コップの外がわに出したはりがねをセロハンテープでアルミはくにはりつける。

あんぜんのために、かならずやってね！

4 はりがねを通したふたをかぶせて、はりがねのはしにビニールテープをまく。

5 はりがねをすきな形にまげて、もう1このコップを下からかぶせる。

6 アルミはくを細長くおり、さらに、半分の長さにおった「しゅう電板」を、コップとコップのすきまにさしこむ。

7 わっかを作る。⑦のはりがねを油性ペンにまきつけて、ぐるぐるねじる。はしにビニールテープをまく。

8 せい電気をコップにためる。風船をふくらませ、手ぶくろをした手でなでるように数回こする。

9 風船を「しゅう電板」に近づけて、せい電気をうつす。8と9を5〜10回くりかえして、コップにせい電気をためる。

せつめいしてみよう

ビリビリゲーム

さわるとバチッとなる、せい電気がひみつのゲームの作り方をせつめいします。

作り方

まず、ニッパーではりがねを80センチメートル、20センチメートルに切っておきます。つぎに、2このプラスチックコップにアルミはくをまいて、1こには、プッシュピンをつかってはりがねを通すあなをあけます。

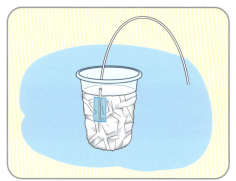

コップの内がわから、長い方のはりがねの先を外がわに出して、アルミはくの上にセロハンテープではります。アルミはくと、はりがねの間にすきまができないように、ぴったりとはります。

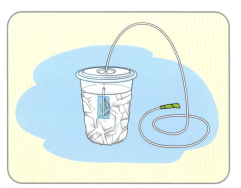

コップにふたをします。はりがねは、ふたのあなを通して、すきな形にまげます。そして、はしっこにビニールテープをまきます。はしっこにテープをまくのは、せい電気をストップさせて、あんぜんにあそぶためです。

しゅう電板

つぎに、「しゅう電板」をつくります。アルミはくを細長くおり、さらに半分の長さにおります。そして、もう1このコップを下からかさねたら、「しゅう電板」をコップとコップの間にさします。「しゅう電板」は、電気をうけとるためのぶひんです。

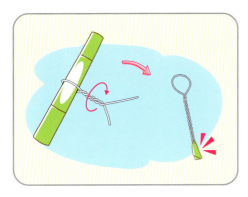

油性ペンなどの丸いものに、みじかい方のはりがねをまいて、わっかを作ります。あんぜんにあそぶために、わっかのはしにも、ビニールテープをまきます。

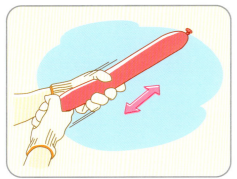

風船を手ぶくろで何回かこすり、せい電気をためます。せい電気がたまった風船を「しゅう電板」に近づけると、コップの中に、せい電気がうつります。10回くらいやります。セーターやマフラーなどでこすってもいいです。

楽しみ方

かた方の手でコップをもち、ゲームスタート！はりがねの根元までわっかを通せたらクリアです。とちゅうでわっかがはりがねにさわって、電気がパチッとなったらアウトです。

どうしてバチッとなるの？

生きものやどうぐなど、ものはすべて、＋（プラス）と－（マイナス）の電気をバランスよくもっているんだ。ところが、ものとものがこすれると、電気がいどうして、かた方がプラスに、もうかた方がマイナスに、数がかたよってしまう。かたよったバランスをもどそうと、ふたたび電気がいどうするとき、バチッとなるんだ。

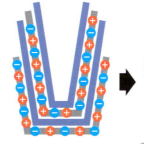

＋（プラス）と－（マイナス）のバランスがとれている。

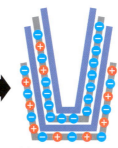

電気がいどうして－（マイナス）にかたよっている

冬におすすめの工作だよ！ 空気がかわいていた方がせい電気が生まれやすいんだ。

エンジンは1本のわゴム
プルバックカー

後ろに引いて、
手をはなすと車がゴー！

ざいりょうとどうぐ

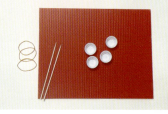

● ざいりょう
プラダン（プラスチックダンボール）（1まい）、11センチメートルより長い竹ぐし（2本）、ペットボトルのふた（4こ）、わゴム（3本）

● どうぐ
カッター、じょうぎ、カッターマット、えんぴつ、ニッパー、ビニールテープ、クラフト用ボンド（プラスチックにつかえるもの、またはグルーガン）

ゴムの力で
ばく走するよ！

あそび方

車を後ろに何回か引いて、ゴムをまきます。パッと手をはなすと、もどろうとするゴムの力で、車が走り出します。

せつめい動画

作り方

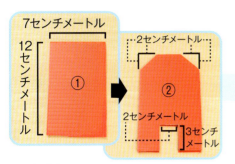

1 写真①のサイズにプラダンを切る。長い辺にプラダンのあながくるように注意！そのあと写真②の形にカットする。

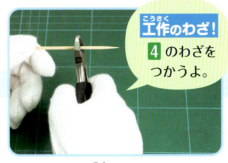

工作のわざ！ **4** のわざをつかうよ。

2 タイヤを作る。ニッパーをつかって竹ぐし2本を11センチメートルに切る。

工作のわざ！ **3** のわざをつかうよ。

3 ペットボトルのふたにカッターの刃の角をさして、ふたをぐるぐる回す。うらからもやって、あなをあける。

クラフト用ボンドはかたまるまで時間がかかるよ。

4 あなに竹ぐしを通して、クラフト用ボンドでとめる。

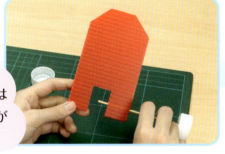

5 ボンドがかたまったら、プラダンの前と後ろに竹ぐしを通す。後ろは、切れこみのちょうどまん中に通す。

6 のこりのタイヤをとりつける。たいらでかたいものでおすと、まっすぐつけられる。**4**と同じくとめる。

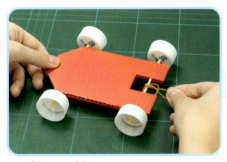

7 後ろの竹ぐしに、わゴムをむすぶ。

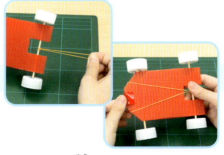

8 ゴムを前にのばし、ビニールテープでボディにくっつける。

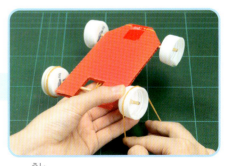

9 後ろのタイヤ2こに、わゴムをまいたら完成。あまったプラダンでかざりつけてもいい。

せつめいしてみよう

プルバックカー

電池をつかわないのに、自分で走る車の作り方をせつめいします。

作り方

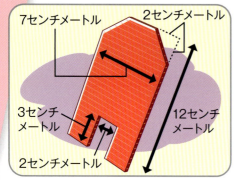

はじめに、車のボディを作ります。プラダンをカッターで長方形に切ります。このとき、長い方の辺に、プラダンのあながくるように切ります。車の前になる方は、角をななめに切り、後ろになる方には、まんなかに四角い切れこみを入れます。

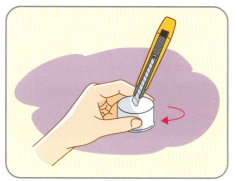

つぎに、タイヤを作ります。ペットボトルのふたに、竹ぐしを通すあなをあけます。ふたのまん中にカッターの刃の先のぶぶんをさして、ふたを回すと、少しずつあながあきます。あなの大きさは、竹ぐしがきつくはまって、すぐにぬけないくらいがいいです。

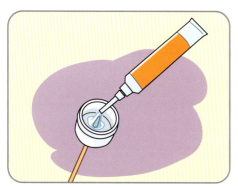

あなに竹ぐしをさして、ペットボトルの内がわからクラフト用ボンドでとめます。このときは、かたがわのタイヤだけをつけます。まちがえて、両がわのタイヤをつけてしまうと、ボディにくしを通せなくなるので気をつけます。

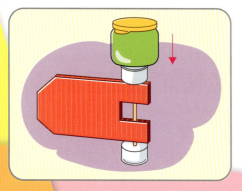

プラダンのあなに竹ぐしを通します。後ろのタイヤは、四角い切れこみのまんなかを通します。コップのうらなど、かたくて、たいらなものでおすと、タイヤがまっすぐつきます。そのあと、もうかた方のタイヤもクラフト用ボンドでとめます。

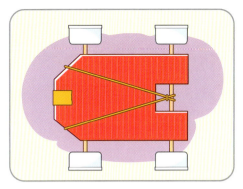

それから、うごくしくみを作ります。後ろのタイヤの竹ぐしに、わゴムをむすびます。それから、わゴムを前にのばして、ビニールテープで、しっかりはりつけます。

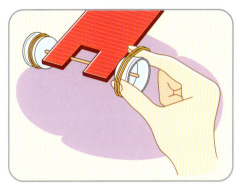

後ろのタイヤに、わゴムをまきます。わゴムが、すべり止めのやく目をします。かざりつけたらできあがりです。

楽しみ方

何回も車を引いて、わゴムを竹ぐしにたくさんまきつけます。手をはなすと、車が走り出します。何台かでレースをしても楽しいです。

ボディのデザインもくふうしよう

自分のすきなデザインにすると、より楽しくあそべるよ。ボンドや、両面テープでプラダンをくっつけて、すてきなマイカーにしよう。

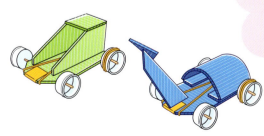

かざりはなくても車は走るけど、あったら楽しいよね。

23

ふわりと帰ってくる 紙コップブーメラン

とばしてキャッチ！
コップがたのブーメラン

ざいりょうとどうぐ

● ざいりょう
紙コップ大（2こ）、ゼムクリップ（1こ）、わゴム（2本）、角が四角いわりばし（わってないもの1ぜん）

● どうぐ
セロハンテープ、ビニールテープ、はさみ

かんたんな工作だけど
じょうずにとばして
キャッチするのは
しゅぎょうがいるかな。

あそび方

クリップにわゴムを引っかけて、ビューンとブーメランをとばします。とんでいったブーメランが、手元にもどってきたところをキャッチ！

せつめい動画

作り方

1 紙コップの底と底をくっつける。セロハンテープで数かしょとめたら、さいごに長いテープを1しゅうまく。

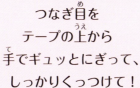

つなぎ目をテープの上から手でギュッとにぎって、しっかりくっつけて！

2 ゼムクリップを「く」の字になるようにまげる。

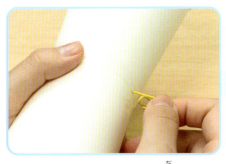

3 ゼムクリップのとび出したぼうを紙コップのつなぎ目にさしこむ。

ゼムクリップのむきは、これ。むきをまちがえると、とばしにくいよ！

4 セロハンテープでゼムクリップをとめて完成。紙コップをシールなどでかざってもいい。

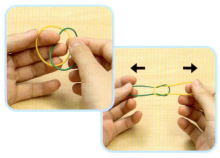

5 発射そうちを作る。わゴムを2本、むすびつける。

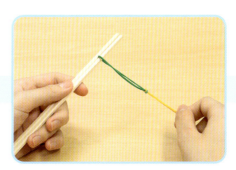

6 わりばしをちょっとだけひらいて、わゴムを引っかける。

7 ビニールテープをまいて、わゴムが外れないようにすれば完成。

せつめいしてみよう

紙コップブーメラン

ふわりと空中をとんで、もどってくるブーメランの作り方をせつめいします。

作り方

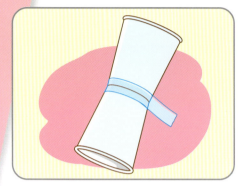

さいしょに、ブーメランを作ります。2この紙コップの底どうしをセロハンテープでくっつけます。何かしょかとめたら、つなぎ目にテープを1回まきます。手でにぎってテープをよくおさえます。

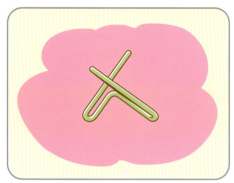

わゴムを引っかけるところを作ります。ゼムクリップを「く」の字にまげます。

ゼムクリップのとび出したぼうを、紙コップのつなぎ目にさしこみます。とれないようにセロハンテープでとめたら完成です。このとき、ゼムクリップの、むきをまちがえてとりつけると、ブーメランはとばしにくいです。

シールやマスキングテープなどでかざったり、油性ペンや色えんぴつで色をぬったりすると、きれいです。

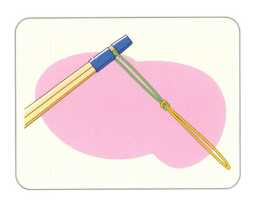

つぎに、発射そうちを作ります。2本つないだわゴムを、わりばしの先のすきまに引っかけます。わゴムがとれないように、ビニールテープをまいたら、発射そうちのできあがりです。

楽しみ方

わゴムを引っかけたゼムクリップを上にして、ブーメランをもちます。ブーメランの下がわを通ってわゴムを手前にもってきたら、さらに、ぐるっと1しゅうブーメランにまきつけます。

ゼムクリップ

えい！

わゴムを上にギューッとのばして、パッと手をはなします。少しむずかしいけれど、れんしゅうすれば、うまくとばして、キャッチできるようになります。じょうずにとばせるようになると、とっても楽しいです。

なぜブーメランがもどってくるの？

回るブーメランが上へすすむときは、むこうがわへ引っぱる力がはたらき、おちてくるときは、手前に引っぱる力がはたらく。だからブーメランがもどってくるんだ。

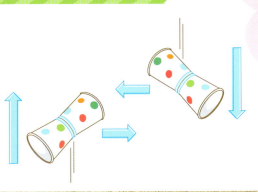

回りながらすすむものには、すすむ方向にたいして垂直の力がはたらくよ。これを「マグヌスこうか」という！

やわらかいたまをうつ 風船ピストル

●ざいりょう
風船（1こ）、ラップのしん（1本）、トイレットペーパーのしん（1本）、ポンポンボール

●どうぐ
はさみ、セロハンテープ、ビニールテープ

ポンポンボールをセットしてパーン！

手芸用のやわらかいボールだから、当たってもいたくないよ。

ちゅうい 顔の近くから顔に向けてうたないようにしよう。

あそび方

ラップのしんの口からポンポンボールを入れ、風船を引っぱって手をはなします。すると、ボールがいきおいよくとび出します。

せつめい動画

作り方

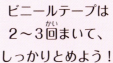

ビニールテープは2〜3回まいて、しっかりとめよう！

1 ピストルの本体を作る。さいしょに、はさみで風船を切る。

2 ラップのしんに風船をかぶせて、ビニールテープでとめる。

3 トイレットペーパーのしんのはしをつぶして、両がわから切れこみを入れる。切れこみの間は、1センチメートルくらいのこす。

4 つぶしたところをもどして、つぶしたときについた、おれ目2かしょを切る。

5 切ったところを写真のようにひらく。これがもち手になる。

6 本体に、もち手をつける。しんのひらいたところを、セロハンテープで本体にはる。

7 セロハンテープの上からビニールテープをまいて、しっかりとつける。もち手がぐらぐらしないように何回もまく。

8 もち手にもビニールテープをまいて、にぎってもつぶれないように強くしたら完成。シールでかざったりしてもいい。

せつめいしてみよう

風船ピストル

やわらかいポンポンボールがとび出る、おもちゃの作り方をせつめいします。

作り方

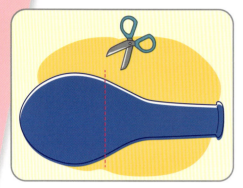

はじめに、風船ピストルの本体を作ります。はさみで風船を切ります。

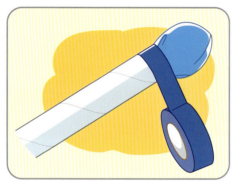

ラップのしんに風船をかぶせて、ビニールテープを2回くらいまきます。あそぶときに、強く引っぱるところなので、しっかりくっつけます。

つぎに、もち手を作ります。トイレットペーパーのしんのはしをつぶして、はさみで切れこみを入れます。切れこみの間は1センチメートルくらいのこします。

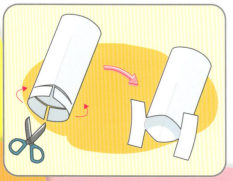

つぶしたところをもどすと、つぶしたときについた、おれ目の線があります。その線をはさみで切ります。切ったところをひらきます。

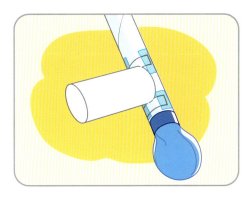

本体にもち手をつけます。まずはセロハンテープではって、その上からビニールテープもはります。

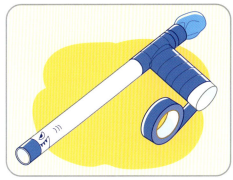

ビニールテープをたくさんまいて、もち手や、つなぎ目を強くします。さいごに、かざりをつけたらできあがりです。

楽しみ方

本体の口からポンポンボールを入れて、風船の中におとします。ボールごと風船を引っぱって、手をはなすと発射します。まとを作って、まと当てゲームをすると、もっと楽しいです。

どんなまとがいい？

やわらかいポンポンボールは当たってもいたくはないけれど、人やどうぶつにむけて、うたないようにしよう。色画用紙やぎゅうにゅうパックで作ったまとをねらうと楽しいよ。

12ページのゴールや1巻の12ページにある宇宙人の工作もまとになる！

指先にしゅう中！ゆらゆらバランスゲーム

こぼれたらアウト！
いくつのせられるかな？

ざいりょうとどうぐ

● ざいりょう
カプセルトイのカプセル（1こ）、ラップ（7センチ角1まい）、直径18センチメートルくらいの紙ざら（1まい）、大きいビー玉（2こ）、紙コップ中（1こ）、4色の丸シール（1まいずつ）、白い丸シール（2まい）、サイコロ（2こ）、おはじき（たくさん）

● どうぐ
セロハンテープ、ビニールテープ、えんぴつ、油性ペン、はさみ

ちゅうい
小さい子がおはじきやサイコロを口に入れないように気をつけよう。

おはじきがバラバラこぼれるともり上がるよ。

あそび方

色のサイコロと数のサイコロを同時にふって、出た数のおはじきを、出た色の上にのせます。土台がたおれて、おはじきがこぼれたらアウトです。

せつめい動画

作り方

1 ゆらゆらする土台を作る。カプセルをひらいて、ビー玉を入れる。

2 ラップをかぶせてから、上下のカプセルをとじる。ビー玉が下のカプセルに、とじこめられていればOK。

3 つなぎ目にビニールテープを2回まく。

4 紙ざらを4色にぬり分ける。よぶんな丸シールがあれば、それをはってもいい。

5 紙コップをふせて、半分くらいのところにえんぴつで線を引く。

工作のわざ！
1 のわざをつかうよ。

6 はさみで紙コップの底のふちを切りとり、底をぬく。

7 1.5センチメートルの間かくで、線まで切れこみを入れ、外がわにひらく。

8 紙ざらのうらにセロハンテープで紙コップをくっつける。

9 カプセルに紙コップをかぶせたら完成。

せつめいしてみよう

ゆらゆらバランスゲーム

ゆらゆらゆれる台に、おはじきをのせる、楽しいゲームの作り方をせつめいします。

作り方

まず、カプセルをひらいて、おもりになる大きいビー玉を2こ入れます。ラップをしてからふたをしめて、ビー玉をカプセルのかた方に、とじこめます。

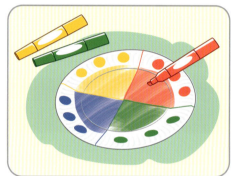

つぎに、紙ざらを4色にぬり分けます。あとでサイコロにはる丸シールと同じ4色にします。ペンのほかに、色えんぴつや丸シールで色分けするときれいです。

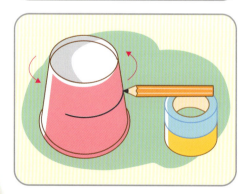

紙コップにえんぴつで線を引きます。ビニールテープ2この上にえんぴつをおいて手でおさえ、もうかた方の手で紙コップを回すと、まっすぐな線が引けます。

底のふちをぐるりと切りおとし、底をぬきます。それから、はさみで紙コップに切れこみを入れます。えんぴつの線のところまで、1.5センチメートルの間かくに切ります。

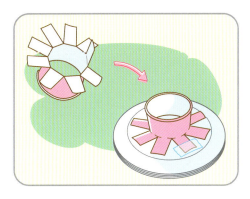

切れこみをひらいて、紙ざらのうらにセロハンテープではります。あまった紙ざらをかさねた上でやると、紙ざらがへこまないで、きれいにはれます。

さいごに、カプセルに紙コップをかぶせます。サイコロに丸シールをはったらできあがりです。

楽しみ方

色をきめるサイコロと、数をきめるサイコロを同時にふって、出た色の上に、出た数のおはじきをおきます。台のバランスがくずれて、おはじきがこぼれたらアウトです。

色のサイコロを工夫しよう

色のサイコロには紙ざらと同じ、4色の丸シールを4めんにはるよ。のこり2めんには、ペナルティを書いた白い丸シールをはろう。

〈ペナルティのれい〉

- ×2 … 出た数の2倍のおはじきをおく。色はどこでもOK。
- +3 … 出た数に3こ足しておはじきをおく。色はどこでもOK。
- 休 …… 1回休み。
- ☆ …… 4色ぜんぶに出た数をおく。

ペナルティをみんなで考えるのももり上がるよね！

さか道をパタパタころがる パタパタくん

まるで生きているみたいな
ふしぎなうごき！

ざいりょうとどうぐ

● ざいりょう
トイレットペーパーのしん（1本）、3×14センチメートルの色画用紙（1まい）、ビー玉（1こ）、丸シール

● どうぐ
はさみ、セロハンテープ、両面テープ、油性ペン

さか道をパタパタところがりおりるようすがとってもかわいいんだ！

ちゅうい
小さい子がビー玉を口に入れないように気をつけよう。

 あそび方

木の板などのさか道において、ころがしてあそびます。まるで生きているようなふしぎなうごきを見てみましょう。

せつめい動画

作り方

1 トイレットペーパーのしんにえんぴつで線を引く。

2 はさみで、たてに切れこみを入れて、つぎに線にそって切る。つかうのは、みじかい方。

3 さらに、たて半分に切る。パタパタくん1こにつかうのは、このうち1まい。

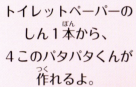

トイレットペーパーのしん1本から、4このパタパタくんが作れるよ。

4 3の両はしをあわせて、セロハンテープでとめる。すると、ちょうどビー玉が通るくらいのつつになる。

5 両面テープを2まいはる。1まいは、つつのつなぎ目に、もう1まいは、そのはんたいがわにはる。

6 つつに色画用紙をまく。両面テープの1まいのめんだけはり、ビー玉をつつに入れたら、もう1めんもはる。

7 ビー玉がつつの中でころがるかどうか、たしかめる。ころがらないときは、丸みを広げたり、色画用紙をはりなおす。

8 丸シールなどで、両面に顔をつけたら完成。

せつめいしてみよう

パタパタくん

さか道をおもしろいうごきでころがるおもちゃの作り方をせつめいします。

作り方

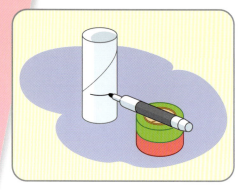

まず、トイレットペーパーのしんに、ペンやえんぴつで線を引きます。ビニールテープ2この上にペンをセットして、トイレットペーパーのしんの方を回すと、まっすぐな線が引けます。

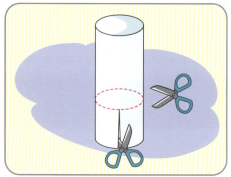

はさみで、たてに切れこみを入れて、つぎに、ペンで引いた線を切ります。

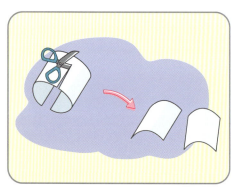

切ったトイレットペーパーのしんの、みじかい方をつかいます。これを半分に切り分けます。

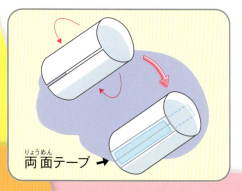

両はしをセロハンテープでとめて、小さいつつにします。ちょうどビー玉が入るくらいのつつになります。両面テープをつつのつなぎ目と、そのはんたいがわの2かしょにはります。

両面テープ →

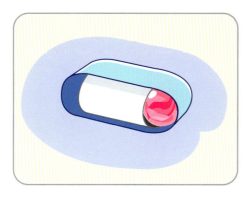

つつにビー玉を入れて、色画用紙をまきます。つつと色画用紙の間は、少しすきまをあけます。すきまがないと、ビー玉がうまくころがりません。

さいごに、丸シールなどで、おもてとうらに顔をつけます。これでパタパタくんのできあがりです。うさぎや虫など、ちがうデザインにしても楽しいです。

楽しみ方

木の板など、さか道をよういします。パタパタくんをおいて、上からころがすと、おもしろいうごきで、おりていきます。いろいろな顔やデザインにするともっと楽しいです。

すべらない板をよういしよう

プラスチックなどのつるつるしている板だと、パタパタくんがすべってしまい、じょうずに引っくり返ることができないんだ。木の板や、強いダンボールなど、少しざらっとした板をよういしてね。

つるつるした板しかないときは、板に色画用紙をはるといいよ。

監修　ささぼう

1989年、東北生まれ。大学では環境学を専攻。卒業後、地元の科学館に学芸員として就職。主に小学生を対象とした工作教室やサイエンスショーの企画を多数手がける。2021年11月、科学工作・科学あそびを紹介するブログ「かがくらふと」を開設。2023年2月、同名YouTubeチャンネル「かがくらふと」を開設。科学をあそびとして発信する活動を行っている。

- 装丁・デザイン　ニシ工芸株式会社（塚野初美）
- イラスト　是村ゆかり
- 撮影　今福 克
- 編集協力　ニシ工芸株式会社
　　　　　（宮崎祥子、大石さえ子、猫野クロ、高瀬和也）

授業でつかえる！おもちゃを作ってせつめいしよう　全3巻

①うごく！生きもののおもちゃ
②わくわく！あそべるおもちゃ
③びっくり！とぶおもちゃ

全巻セット定価：10,560円
（本体9,600円＋税10%）
ISBN978-4-580-88816-6

授業でつかえる！おもちゃを作ってせつめいしよう
②わくわく！あそべるおもちゃ

ISBN978-4-580-82676-2
C8372 NDC759　40P　26.4×21.7cm

2024年10月30日　第1刷発行

監　修　ささぼう
発行者　佐藤諭史
発行所　文研出版

〒113-0023　東京都文京区向丘2丁目3番10号
〒543-0052　大阪府大阪市天王寺区大道4丁目3番25号
電話 (06) 6779-1531　児童書お問い合わせ (03) 3814-5187
https://www.shinko-keirin.co.jp/

印刷所／製本所　株式会社 太洋社

Ⓒ 2024 BUNKEN SHUPPAN Printed in japan
万一不良本がありましたらお取替えいたします。
本書のコピー、スキャン、デジタル等の無断複製は、著作権法の例外を除いて禁じられています。本書を代行業者等の第三者に依頼してスキャンやデジタル化することは、たとえ個人や家庭内の利用であっても著作権法上認められていません。

おもちゃを作るとき あるとべんりな どうぐ

はさみ

養生（ようじょう）テープ
手で切りやすく、はがしやすいテープ。ペットボトルをまっすぐ切るとき、めじるしのために貼るとべんりだよ。

えんぴつ

油性（ゆせい）ペン

カッターマット
カッターマットの上で切るときは、紙をしっかりおさえて、うごかないようにしよう。

カッター
するどい刃（は）がついているから、つかうときは刃の下（した）にゆびがいかないように、もち方（かた）をかんがえよう。紙（かみ）を切るときは、カッターマットをつかうと、カッターの刃（は）がすべりづらいので安全（あんぜん）だし、つくえなどもきずつけないよ。